마음의 비수 - 칠뜨기편 - 1장

부제 : 고양이와 칠뜨기의 이야기들

36 그리고 53

마음의 비수 - 칠뜨기편 - 1장

발 행 | 2024년 2월 16일
저 자 | 한재영
펴낸이 | 한건희
펴낸곳 | 주식회사 부크크
출판사등록 | 2014.07.15.(제2014-16호)
주 소 | 서울특별시 금천구 가산디지털1로 119 SK트윈타워 A동 305호
전 화 | 1670-8316
이메일 | info@bookk.co.kr

ISBN | 979-11-410-7227-8

www.bookk.co.kr

마음의 비수 - 칠뜨기편 - 1장

부제 : 고양이와 칠뜨기의 이야기들

36 그리고 53

한재영

작가의 시작 글

여자친구의 마음에 비수를 꽂아
여자친구가 눈물을 흘리게 되면,
내 눈과 마음에는 피눈물이 흘렀습니다.

연인, 애인, 부부가 잘해줄 때
잘해주세요.
저에게 잘해준 사람이 내 곁을
떠나고나니,
많은 후회가 밀려와 겨우겨우 붙잡게
되어
지금은 서로 잘 지내고 있습니다.

이 책은 여러 이야기를,
글과 시처럼 쓴 소설입니다.

목차

첫 회사생활

누구에게나 처음이 있다.

내 첫 회사생활 카페가
그런 곳이였다.

칠뜨기는
부모님 그늘에서만 생활

칠뜨기는
부모님이 운영하시는 계단청소에서
알바, 직원, 지사장으로 일하다가
교통사고로 허리디스크 판정 받아
부모님 집에서 4~5년간 폐인 생활

칠뜨기 혼자 독립하게 되어
먹고살기 위해 이리저리 알아보다가
입사하게 된 첫 회사, 카페

고양이의 첫 인상

이성과의 만남에서
호감이 생기는데 걸리는 시간이
3초면 끝난다고 했던가?

칠뜨기는
고양이에게 호감이 생기는게
3개월 걸렸다.

코로나시국
마스크를 착용하고
카페에 처음 면접 온
고양이.

마스크 너머의
화려함과 메이크업이 느껴지고

새로운 사람
새로운 신입생
그 이하도 그 이상도 아닌
딱 그정도의 첫인상.

이성적으로 느껴짐이
3개월 정도 걸렸다.

다른 여자

다른 여자와 교제중이던 칠뜨기

다른 여자와
교제중이던
칠뜨기

어느날부터
칠뜨기의 마음에
들어오게 된
고양이

뭔가 모르게
자꾸자꾸만
관심이 가고
신경쓰이던
하루하루들

12월 25일 크리스마스 1

칠뜨기의 집으로 온 배달음식 1

칠뜨기와 고양이가
칠뜨기의 집에서
처음으로 맞이한
12월 25일 크리스마스

늦은 밤 갑자기
칠뜨기의 폰으로 도착한
배달도착 알람

문을 열고보니
문 앞에 있던 배달음식

누가 보냈냐고
여러번 질문하던 고양이

만나고 있던 여자가
보낸 것 같다고 한 칠뜨기

바람피는게 딱 걸린 날

12월 25일 크리스마스 2

칠뜨기의 집으로 온 배달음식 2

칠뜨기의 집에서
고양이가 만들고 준비한
소고기 스테이크 + 와인

둘이서 함께
음식을 먹고
와인을 마시며
이런저런 얘기들

영화를 보다가
다른 여자에게 온
배달음식 팥빙수

화나고 속상해서
울면서 가버린
고양이

붙잡지 않고
바라보기만 한
칠뜨기

양다리지 ?

양다리지? 양다리지?
너 양다리지?

양다리지?
칠뜨기 너
양다리지?

양다리는 아니구요.
이러이러 해서
이렇게 됐어요.

양다리지?
칠뜨기 너
양다리지?

왜 말 안했어?
나한테 왜 말 안했어?
나한테 왜 상처준거야?

그저 미안하다고만 한
칠뜨기

중전마마 (여인천하)

중전마마 중전마마
칠뜨기가 만나고 있던
여자의 별명은
중전마마

그리고

선덕여왕 + 잔다르크
느낌의 성격을 가진 고양이

아~~ 아~~~
아~ 아~~~~

여인천하 여인천하
드라마 여인천하

칠뜨기의
별명은
왕

칠뜨기가 만나고 있던
여자의 별명은
중전마마

칠뜨기의 마음에
들어오게 된
여자의 별명은
고양이

칠뜨기가 먼저

칠뜨기가 먼저
고양이에게
접근하다.

버스커버스커의 노래
꽃송이가 가사처럼
칠뜨기가 먼저 접근

고양이님
밥 먹을래요?
영화보러 갈래요?
연극보러 갈래요?

수줍음 부끄러움
낯간지러움이 많은데
나름대로
많은 용기를 낸
칠뜨기

그래요.

칠뜨기가 건넨
식사 데이트를
수락해준 고양이

소곱창

회사가 아닌,
처음으로 둘이
외부에서 함께한
첫 식사.

음식을 먹고
술을 마시며
대화를 이어가던
고양이.

술은 못 마셔서
음식만 먹으며
대답만 한
칠뜨기

좋아요.

칠뜨기가 건낸
영화 데이트를
수락해준 고양이

저랑
영화보러 갈래요?

칠뜨기가
고양이에게
영화 데이트 신청

둘이서 재밌게
영화를 봤는데

칠뜨기가 재미 없었는지
저녁도 안 먹고
그냥 가버린
고양이

더 같이 있고 싶었는데..
고양이는 내가 싫은걸까?

누드 골뱅이탕

서울시 성동구
왕십리 쪽에서
누드 골뱅이탕 데이트

저랑 저녁 먹어요.
뭐 먹을래요?
뭐 좋아하세요?
고양이가 먹고 싶은거
저는 다 조아요.

뭐 먹을래요?
뭐 조아하세요?
이거 먹을까요?
저거 먹을까요?
누드 골뱅이탕 먹으러 가요.

산책

고양이와 칠뜨기가
누드 골뱅이탕을 먹은 후
청계천 산책가다.

저녁을 먹었으니
소화시킬겸

청계천으로
산책가자고 한 고양이

걷고 걷고
또 걷고 걷고
몇 걸음이나 걸었을까?

도착해보니
청계천에 있는
드라마 도깨비 촬영지

청계천에서
왕십리 고양이 집 근처까지

다시 또
걷고 걷고
한 . . 15,000보 걸었던 날

들이댄 고양이

세 번의 데이트 후
스킨십 진도가 없자
답답하고 또 답답해져서
확 들이대버린
고양이

무슨 남자가 그래요?

여자를 세 번 만났으면
손이라도 잡던가
뽀뽀라도 하던가
진도가 좀 나가야 되는거죠?

나한테 관심 있는거 맞아요?
나 좋아하는거 맞아요?
왜 아무짓도 안 해요?
나 별로에요? 나 싫어해요?

무슨 남자가 그래요?

손이라도 잡아요.
뽀뽀라도 해요.
오늘은 그냥 가지 마세요.

어머님과의 식사

고양이 어머님을
처음 뵙던 날

어머님의
포스와 아우라를
아직도 잊을 수 없는

군자동 시장에서
고양이 어머님을
처음으로 뵙던 날

그 날
고양이 어머님의
포스와 아우라를
아직도 잊을 수 없다.

어머님이 느끼신
내 첫인상
내 첫 느낌은
늙은 구렁이 영감탱이

신금호역 횟집

고양이를 만나면서
처음으로 꽐라가 된
칠뜨기

빨간소주 2병

짠 짠
또 짠

짠 짠
또 또 짠 짠

짠 하고
마시고

칠뜨기는
술도 못 마시는데
고양이에게 맞춰주기 위해
짠 하고 마시고
또 짠 하고 마시고

아..휴~ 정말!!

고양이의 부축

고양이가 칠뜨기를 부축해서
칠뜨기의 집까지 데려다 주다.

- 칠뜨기의 집 -

저 너무 어지러워요.
저 너무 졸려요.

후 . . 우 ~
후 . . 우 ~
저 조금만 누워있을게요.

드르렁 드르렁
쿠울 z Z
쿠우울 z z Z
드르러렁 드르르렁

집에 도착하자마자
바로 기절한 칠뜨기

아 . . 휴 ~ 정 말 ! !

저세상 체험

술 꽐라 된 다음날 일어나니
저세상 체험을 한 칠뜨기

저세상 구경을 하고 온 느낌

자고 일어나니
땅이 빙그르르
천장이 빙그르르
세상이 울렁울렁

나는
가만히 있는데
세상의 멸망이 왔나?

나를 제외한
그 모든 것들이
빙그르르 울렁울렁

만취 후 맞이한 아침은
꼭 저세상을 체험한 느낌

해장은 콩나물국

고양이가 만들어준
콩나물국

여보세요?
여보세여?
고양이에게서 온 전화

어 . .
나 너무 어지러워
저세상 온 느낌이야

그러니까
왜 그리 마셔써?

나도 몰라 . .

집에 가서
콩나물국 해주께

찜질방

고양이와 칠뜨기가
처음으로 간 찜질방

칠뜨기는 남탕
고양이는 여탕

각자의 탕
따로따로탕

씻은 후
온탕에 들어가
몸을 불리고

고양이는
때밀이에 마사지까지

서로 찜질방에서 만나
양머리를 하고
땀을 빼고
식혜를 마시고
팥빙수도 먹었던 날

볼링장 1

칠뜨기와 고양이가 한
내기 볼링

진 사람이
저녁을 쏘는
내기 볼링

구멍에 빠질 때도

볼링핀을 한 두 개
쓰러뜨릴 때도

스트라이크를
칠 때도 있는 볼링장

우리도 그러한 날

이 날의 승리자는
칠뜨기

오늘
저녁은
너가 쏘라~

안 데리고 가면 죽어

동영상 촬영과 증거

스키장

무서운 스키장
각서까지 쓴 스키장

데려 가겠다고
꼭 같이 간다고
각서를 쓰게 한
고양이

증거로
동영상 촬영을 한
고양이

데려갈게
데려가겠습니다

꼭 같이
가겠습니다

게임 좀 그만해 ! !

칠뜨기야, 게임 좀 그만 해 ! !

제발
제발 제발
게임 좀 그만해 ! !

지금 나이가 몇 이야?
왜 아직도 게임 해?

나좀 봐줘
나한테 관심좀 줘

게임하는 만큼만
나한테 애정좀 줘

제발
제발 제발
게임 좀 그만해 ! !

작가의 마지막 글

제 책과 글을 봐주셔서 감사합니다.

더 많은 에피소드와
더 재미있는 글들로
다음 책을 준비하겠습니다.

2024년 복 많이 받으시고,
앞으로도 복 많이 받으세영~